清 陳鏡伊編

道德叢書之三

家庭美德

夫婦篇、父子篇
兄弟篇、叔姪篇
宗族篇

世界書局

家庭美德

家庭美德

道德叢書之三

江蘇海門陳鏡伊編

目錄

(一)夫婦篇

(上)善例

（下）惡例

（三）兄弟篇

（上）善例

骨肉同心　合財同住

大被同臥　大衾同枕

寢息一堂　兄弟爭死 八則

兄弟爭獄　讓國不居

讓權管理　讓產寡取 三則

各自悔責　兄弟悔感

兄弟泣謝　取劣讓佳

以官讓弟　推祿予弟

蚊不侵螫　誓養孤寡

兄毆不怒　格兄改過

爲姊煮粥

（下）惡例

離間兄弟 四則　兄吝弟忿

吞弟產業　弟貧不助

減弟自益　待弟如僕

壓迫乃弟 二則　囑縣笞弟

[illegible]弟于獄　迫賣弟婦

弟暴兄過　不再欺兄

欺兄無嗣　偏聽婦言

退步想想

（四）叔姪篇 附叔嫂

抱姪棄子　以子易姪
棄子全姪　挺身救姪
成名報伯　愛伯與弟
事叔如父　叔姪感泣
疏訟叔寃　佔姪基地
縱姪不教　負兄逐姪
負兄欺姪　賣嬸求財
虐侍嫂疾　嫉妒夫弟
謀奪嫂產

（五）宗族篇 附親戚

附親戚

家庭美德

道德叢書之三

江蘇海門陳鏡伊編

（一）夫婦篇

（上）善例

不棄瞽女（一）

劉廷式登第歸。其先定之妻已盲。岳父貧賤。不敢議婚。廷式擇日完娶。或勸納其次女。岳父亦允。廷式曰：「此女我若不娶。無人敢娶。必擱誤一世。何忍出此」。竟娶之。和睦到老。生二子皆大貴。

不棄瞽女（二）

河南靳尚書夫人村家女也。幼時許婚後。女喪明。適公入泮。名聲鵲起。村家自揣非配。懇媒求絕。父母許之。公諫曰：「婚姻事出天定。若因失明而棄之。誰與婚者。背盟失信。不願為也。」踰年公聯捷。夫人目復明。

不棄瞽女（三）

張永錫微時。久依滕縣吉氏。見其淳厚。頗加顧遇。許妻以女而未聘也。既登第京師。權貴競促婚焉。皆謝絕。歸就吉氏女。娶數年而卒。永錫宦漸顯。吉氏有次女雙瞽。永錫欲納之。吉辭甚力。永錫曰：「某荷公德。令女非吾。誰肯顧者。」意極誠確。吉感其義。從之。生二子。女又早歿。吉有幼女。復歸之。又生二子。凡四子皆顯。

不棄瘋女

福清文紹祖之子。與柴公行議婚。既聘。柴女忽患瘋。紹祖以其惡疾也。欲更之。妻大怒曰：『吾有兒。當使其順天理。自然久長。背禮傷義。速其禍也。』仍娶柴女。歸。次年子登第。女亦病痊。三子皆貴。

【按】古來娶瞽女病女者類多。身榮子貴。無他。以其立心仁厚。能為彼蒼包容一人。彼蒼亦將優待一人矣。

不棄啞女

鄭叔通幼時。與夏氏女定婚。及入太學。遂登第。既歸。則夏氏女已啞。其伯欲別擇。叔通堅不可。曰：『此女通若不娶。終身將無所歸。況無恙而定婚。因疾而遽棄。豈人心哉。』竟娶之。和好無間。後鄭官至朝奉大夫。啞女所生一子。亦登第。

不棄擄女

清順治初年。某宦聘某氏爲冢婦。未婚。爲大兵所擄。後乃贖歸。衆議別娶。某宦曰「不可。我若不娶。此女將無所適矣。」娶之。終白媳之貞潔而賢孝無似。某宦感異夢。享高壽。

不棄貧女

宋黃龜年登進士第。聘妻家貧甚。或勸別娶。龜年正色曰「吾已許諾而負之。何以自立。」遂娶之。後仕至給事中。

不負舊聘

明張寅。福安人。弱冠以事從叔振烈出亡之冀。冀人有憐其才者。館穀之。補州庠。成化甲子領順天鄉薦。冀人爭欲與之聯姻。寅曰「予嘗聯邑人康氏女。今南北不相聞問者已十年矣。何忍因其年遠地隔而負之。」會試不第。乃南歸。先是康之父母亦議改適欲許豪家女。以死自誓。凜不可奪。至是諧伉儷。後寅登進士。

不負舊約

李公佚其名。童年初入村塾。一負薪者偶憩土地祠門。忽聞廟中云：「今日李狀元上學。當洒掃街道。」起視無人。遂復坐。頃又聞曰：「李宰相來矣。」一忽疾風掃淨街塵。俄而一人攜一童子捧書而至。遂詳詢姓名。許字以女。未幾因家貧爲縣小吏。令見而異之。命伴公子讀。應試入泮。或有諷其解負薪之姻者。李堅拒之。旋登魁選。後大拜。子孫科甲不替。

以上未婚妻

不棄陋婦（一）

蘇汝惠陝西人。六歲無父。其母爲聘定一妻。時方五歲。未半載。惠母卒。及妻長大。貌陋足跛。惠娶後琴瑟甚調。一友誚之曰：「聞汝婦面目可憎何不另買一婢』惠曰此吾母所親聘定者也所載簪鐶皆吾母故物若憎之是忘母也情近於貪色罪甚於不孝吾何忍爲』友人改容起敬後惠由武生出仕官至總鎭

不棄陋婦（二）

唐尉遲敬德以戰功封公太宗謂之曰『朕欲以女妻卿何如』敬德叩頭謝曰『臣妻雖鄙陋相與共貧賤久矣臣雖不學聞古人富不易妻此非臣所愿也』

不棄糟糠

漢光武姊湖陽公主新寡帝與論羣臣以微覘其意主曰『宋弘威儀羣臣莫及試圖之』帝令主坐屏風後召弘曰『富易交貴易妻人情乎』弘曰『貧賤之交不可忘糟糠之妻不下堂』帝

顧謂主曰：「事不諧矣。」

不棄病女

吳次魯年五十餘。有子國彥已受室矣。自念孱弱。欲父更舉子以爲宗祧計。謂於母。母語次魯。魯曰：「貧家有子已足。安用多爲」母子乃私罄衣飾。置一妾。比入門。羸然病婦也。遂迎醫治之。病氣已劇。僉云不治。但急賣猶可得直。母子深自悔。責令原媒改遣。議二十金聘。次魯知之曰：「我既爲人誤。安可復誤他人。且此妾在吾家猶可望生。一出吾門。萬無生理。所得不過二十金。安忍棄之」竟留實以告買者。還其直而去。妾自是病亦日愈。平復如舊。後生一子。而國彥卒以病死。次魯不致無後也。陳成卿謂仁人之言藹如。有生生之德者。必有生生之慶。信矣哉。

不敢棄妻

某先達者。家本素封。角時即聯姻富室。其尊人慷慨好施。罄其所積。臨終時惟以陰德遺公。公困甚。入泮後。借貸爲娶婦計。而富翁嫌壻貧。陰背盟。而以青衣易之。青衣固端莊婉淑。公無由知其僞也。後往岳家。里中無賴子輩。以婢壻相揶揄。公密叩諸婦。婦直告焉。先是公嘗夢至一所。朱欄碧瓦。迥異人間。有數女郎共繡一錦袍。問之曰：「新科狀元服。」諦視襟袖間朱書三字。乃已姓名。醒後頗自負。及知娶婢。恚甚。念他年富貴。必欲改絃。一夕。仍夢至前所。刺繡女郎。漠不相顧。視襟袖間字。模糊將滅。急問其故。女郎漫應曰：「此子近萌一棄妻念。上帝命易他人耳。」瞿然驚覺。深自悔厲。自此琴瑟益調。誓言偕老。不數年而大魁天下。洊掌封圻

以上已婚妻

不娶貴妻

漢劉德清靜寡欲持老子知足之計霍光欲以女妻之德不敢取畏盛滿也後霍氏敗姻屬相連坐誅者千家而德以畏盛滿免識者稱之

不離瘋夫

嶺南患痲瘋者雖骨肉不與同居防傳染也南海有巨室子某年甫十五六忽患是疾另構山寮居之家人間日省視焉其所聘室亦邑中巨姓女父母欲另字人女不可堅請再四誓之以死父母不能奪其志遂歸某氏爲婦未幾女亦沾染成篤疾空山之中形影相弔聞者傷之一夕明月在天四山清絕露坐松間石上夫撫

之曰：「以卿麗質。而狼狽若此。我之罪也。」女則曰：「早知有今日。其何敢懟。」正在淒然相對間。忽見溪中有一物。翻波浴浪。似兔而小。趨視之。竄入松林而沒。女拔簪誌其處。明日發土視之。則千歲茯苓也。知爲仙品。剖而分食之。甘香沁入心脾。不覺宿疴頓失。瘡瘢全消。父母聞而往視。不啻一對玉人。相映于山溪之間。喜而迎之歸。重爲合巹成禮。莫不嘆爲貞義之報。

隨夫貧儉（一）

戰國時。於陵陳仲子。齊人也。楚王遣使持金百鎰。聘以爲相。夫妻相逃去。爲人灌園。終身自食其力。

隨夫貧儉（二）

吳隱之爲晉陵太守。妻自負薪。入爲左衛將軍。冬月無被。常澣衣乃拔絮勤苦同於士庶。

相敬如賓

左傳臼季出使他國過冀邑見郤缺耕于野妻饋食相敬如賓季言于晉文公曰「能敬必有德德以治民君請用之」公以缺爲下軍大夫。

事夫和順

唐杜悰妻歧陽公主憲宗女也主歸杜拜起一用家人禮嘗語杜曰「上所賜奴婢必不肯窮約我皆奏納之別自買微賤者用之可也」杜惟讀書主職婦事杜出判澧州遣人迎主從者不過二十人馹吏贖贈飲食以外悉返之杜在澧三年主不識刺史廳事姑病婉順調慰故則哀毀盡禮杜後爲忠武軍節度使所治許州

房屋卑濕。主無正室。惟處偏屋。凡六年。時國壻皆豪橫。官不敢問。主因此愈加貶損。親藹溫凊。不言他事。杜仕至工部尚書。主事之和順。終身不改其行。以上事夫　此類故事甚多。詳婦女故事。須參看

閨門嚴肅

宋陸九齡。父賀。以學行爲里人所宗。修禮學。治家有法。闔門百口。男女以班各供其職。閨門之內。嚴若朝廷。而忠敬樂易。鄉人化之。皆遜弟焉。宋史儒林傳

（下）惡例

棄妻削祿

裴章。河東人。父冑。曾鎮荊門州。有僧曇照。道行甚高。能知休咎。章

幼時爲照所重。言其官位當過於父。弱冠父爲娶李氏女。章從職太原。棄妻於洛。過門不入。別有所挈。李氏自感薄命。褐衣髽髻。蔬食奉佛者十年。曹移鎭太原。曇照隨焉。章相見敍舊。照驚訝久之曰：「貧僧常言郎君必貴。今削盡何也。」章自以薄妻事告之。照曰：「夫人生魂訴於上帝。以罪處君矣。」後旬日爲其下所殺。

棄妻不第（一）

浙江張泰路過嚴州。先一夕。店主夢神曰：「明晚來投宿張秀才。科甲中人也。」次日張泰至。店主述其夢。泰喜。夜思登第後做官。只有妻醜。當另娶。越兩日。店主又夢神曰：「張生尚未登第。便思棄妻。今不能發富貴矣。」後果一生窮困。

棄妻不第（二）

閩士李某善讀書爲文。赴試京師。道過衢州。有店主翁姓者。夢土神言。明日有李秀才來。科甲人也。宜善待之。」次早李至。主人款待甚厚。給以裹糧。助其僕馬。李問故。主以夢告。李大喜。夜思登第得官。唯妻貌陋。不能作夫人。當易之。去後。主夢神曰。「此生處心不善。功名未遂。便圖棄妻。今失舉矣。」後李回。主甚慢之。且不納宿。李復問故。具以實告。李驚愧而去。竟終身不第。

棄妻發狂

婁縣顧元吉。初作吏。手不釋卷。後爲諸生。試輒冠軍。生徒日衆。然每入場。輒見有婦女隨之。文思遂亂。蓋顧少年曾聘一妻。以其出自寒微也。竟不娶。致彼抑鬱而死。晚年得狂疾。屢欲自擊其陰。門人嘗堅護之。少懈。輒欲奮擊。既而行至橋上。見河水甚淸。嘆曰。「

此處可葬我』遂自投而死時康熙某年六月初一日也【按】以寒微而棄之天必使其終於寒微矣宜其具此文才訖無成就終葬河魚之腹也

棄妻絕衆

後漢黃允以儁才知名司徒袁隗爲從女求姻允遂黜遣其妻夏侯氏婦謂姑曰『今當見棄乞一會親族』于是大集賓客婦攘袂數允隱匿穢惡十五事登車而去允以此廢于世

無賴賣妻

柏養民一生虛誣雖妻子面前亦無一實話而性復剛狠日與衆無賴以鬭勇爲事妻愼氏勸之曰『家貧囊盡君若貿易得分文亦可稍資日用何必與此輩往來』柏曰『我近得一財主提拔

許我爲布店主管。撥房一宅。不日即偕汝同去居住。』氏喜而信之。不知其已得銀三十兩。將氏賣與鄰邑楊姓爲妻。迎娶之日。哄氏登舟。推故遁去。楊出見。與氏道其詳。氏始亦相拒。旣而相安。遂諧伉儷。楊爲人守分。氏復勤儉。夫婦協力。不數年而成素封。一日偕遊鏡湖。時鶯啼燕語。柳綠桃紅。士女尋春。笙歌盈耳。氏捲簾玩景。見岸上一窮漢。被店家毆打。視之。乃其故夫也。指以告楊。楊憫之。上岸詢其故。店家曰：『此賊屢偷食物。故毆之。』楊解囊酧其値。同至舟中。見故妻。羞慚欲死。氏責之曰：『買臣之妻。因貧求去。貽譏千古。我嫁汝數年。食貧茹苦。並無外心。爾得銀三十兩。將我離異。爾爲男子。不忠不良。尚有何面相見乎。』乃拔頭上金釵一隻。擲與之曰：『持此兌價。作些小經紀。尚可延殘喘。倘再送與酒家。眞餓殍之命。神仙不能救矣。我與爾恩斷義絕。後此不必再見。楊復留酒食。另助銀錢而去。後竟不知所終。

寵妾凌妻

山東晁監生。家財鉅萬。娶妻紀氏。頗和好。又買女優輕雲爲妾。雲有才貌。善狐媚。寵擅專房。晁遂與紀反目。分屋異處。有女尼向紀化緣。紀留齋佈施。雲誣指爲男僧。唆晁休之。紀氣忿自縊。雲遂居正室。時紀之父兄赴巡道控告。官事未結。紀棺不敢葬。雲將靈前綾幔扯下做底衣。又命僕擡棺別停。正在指揮之際。忽兩目怒睜。大駡曰：「爾這淫婦。生前我倒容你。你反不肯容我。」先掌嘴。問敢再長舌賴人否。雲遂用手自打五十兩腮。登時紅腫。又曰：「爾跪下。脫去衣服。」雲即解去上衣。赤身俯伏。又曰：「爾這淫婦有何廉恥。底衣係我靈前綾幔。須還我。』雲卽脫褲。羞恥不顧。衆僕婦環跪懇饒。曰：『汝輩全無良心。我生前相待。何等恩情。我房中丫鬟饑寒交迫。汝輩勢利。並不照顧。』衆叩首認罪。又曰：『淫婦不日卽有王法加他。不是欺我。到極處。我亦不與較量。』遂去。雲醒。問之一字不知。後巡道提審。照婢妾逼主母律擬絞。

得新棄舊

隴西李益門族清華。才情發越。赴京得進士第。託媒鮑媼訪求佳偶。媼曰：『有一仙人。謫在下界。不計貨財。但慕風雅。姓霍名小玉。非但姿貌無雙。抑且音樂詩書。無不通曉。其母素仰君名。比目之願。可諧也。』生跪謝之。擇吉合卺。伉儷相得。關雎和鳴。莫能喻也。女一日忽流涕謂生曰：『妾以弱質。自知非匹。恆慮一旦色衰恩易。白頭抱怨。秋扇見捐。是以極歡之際。不覺悲至。』生請以素縑著盟約。永不相負。命侍兒取筆硯。生引喻山河。誠指日月。句句懇切。女藏於篋。後生父以書促歸。女治酒餞別。執盃曰：『君此去必就佳姻。盟約徒虛語耳。』妾年纔十八。君二十有二。逮君壯室之秋。猶有八載。一生歡愛。願畢此期。妾便捨棄人事。剪髮披緇。夙昔之願。於斯足矣。』生且愧且感。至家。父已擇聘盧氏。生既另婚。遂忘前約。女盼生不至。抱恨成病。臥床不起。猶令侍婢賣篋中服玩。賂遺親知。屢達音書。生忖之不理。後生銓期已及。再至京中。竟不一顧。有告女者。女強起修容。造生之寓。生不得已。勉強相見。女側身轉面。斜視良久曰：『我爲女子。薄命如斯。君是丈夫。負心若此。韶顏稚齒。飲恨而終。慈母在堂。不能供養。綺羅翰墨。從此永休。抱恨黃泉皆君所致李君李君今當永訣我死之後必爲厲鬼相報」乃握生臂長號數聲而絕。生得眉州倅偕盧氏赴任。月夜倚篷窗敍話。忽見女自岸邊冉冉而來。夫婦驚駭。如有鬼拉。俱投水死。

得新忘故

天順中。都指揮馬良最爲上愛。妻亡。上每慰問。後竟數日不出。上怪之。左右以新娶對。上怒曰。「這廝夫婦之道尚薄。豈能事我耶」杖而踈之。明史

夫婦相背

登州營兵李彪性極粗暴。妻冷氏愚拙無能。容復陋劣。合巹之夕。即不當彪意。欲退回母家。同班衆兵相勸勉。強成親。自此不是茶裏尋爭。便是飯裏覓釁。終日譁然。冷氏又不善言語。動則觸彪之

氣。日受毒打。體無完膚。一日逢操期。彪命妻五鼓炊飯。氏懶不肯起。彪怒發如雷。從被中拖出。赤身仰面。反縛橙上。以粗繩勒其私。用竹片重彈之。氏呼痛之聲徹天。衆鄰驚救。戶扃不得入。打至氣消而後已。操回見氏猶睡。正欲再毆。衆鄰拉止。乃赴縣求離異。縣尹問曰：「婦人非犯七出之條。無離異之理。汝妻所犯何款」彪躊躇半晌曰：「犯淫」問姦夫爲誰。答曰：「多不能數」尹曰：「焉有是事。」命拘冷氏與四鄰到案面審。尹一見氏。笑曰：「此豈行淫之人哉」衆鄰同供彪毆妻常用非刑。指氏傷痕爲證。尹欲執法重處。因係營兵。移營究治。受責四十棍。衆營兵憐氏遇人不淑。共起義會。湊銀二十兩給氏養膳。另稅屋居住。且戒彪曰：「若再肆凌虐。衆共毆汝矣」彪俟夜間用腰刀撬開氏門。氏方酣睡。

彪以弓弦勒其喉登時氣絕正在破席下摸銀屍忽躍起劈面一掌昏暈倒地亦死衆鄰悉聞夜間氏屋中有詬誶聲天明往視見兩人相背而立俱僵矣報官相驗氏頸帶弓弦係生前勒死彪耳根致命處有重傷係被掌擊死知係冤對無可查究遂命掩埋兩柩合葬郊外墳前有樹兩株自葬之後皆反背不相對又有怪鳥二隻日夜擊搏驅去復來人皆謂是夫婦所化云

殺妻冤報

浙西某生家貧授館他郡一日歸家疑妻有外遇跳浪奮擊妻展轉乞哀手握一鞋而斃後某入闥見妻掀簾入蓬頭跣足握鞋如死時數之曰：『爾殘刻無良吾已訴之冥司尙望終場耶』某稽首乞哀妻以掌授之曰：『吾奉命來難以空返可書我來矣三字

於上得以覆命我即去耳。』生提筆書之。遂不見。審視。乃即書於卷幅也。

殺妻求將

史記吳起仕魯。齊伐魯。起妻齊女。魯疑不用。起遂殺妻。示信。求之爲將。

以上夫絕于妻

夫貧求離（一）

宋時浙江厲宦之女。貌麗而悍。嫁徐秀才爲妻。徐家世儒素。日用淡泊。厲氏生於宦家。眼界甚大。非嫌夫之酸腐。即笑翁姑寒儉。始猶形諸顏色。既則見於言語。久之譁然。於室無一時安靜矣。翁姑曰：『爾終日吵鬧。意欲何爲。』答曰：『我乃宦室嬌姿。豈能久安貧賤。惟速求遣發耳。』秀才曰：『買臣之妻。再嫁。依然受苦。爾獨不見爛柯山戲文乎』厲笑曰『買臣之妻年老貌劣故不能嫁好人家以我之姿容何愁不售爾拭目視之』秀才亦有志即寫離書無難色立送回家時秦檜當國有表姪張防禦聞厲之美遣媒說合納聘娶之厲過張門雖云意足而箝束丈夫仍使前番手叚防禦亦無可如何惟諸事聽從而已後防禦藉秦檜勢力轉文階累陞吏部侍郎攬權納賄豪富莫比時逢上元厲氏命於門前結綵懸燈晚夕治酒垂簾賞玩傍列婢女數十珠圍翠遶妙舞清歌往來之人莫不嘖嘖稱贊以爲神仙中人徐秀才亦扶母上街看燈適過其門見厲氏體統尊嚴曰『渠合在此中享用豈是我家媳婦』嘆息而去不數年秦檜死高宗收其黨張拏問正典刑籍沒家產厲氏貧無立錐二子復不肖犯事在獄厲氏自携瓦罐

至牢中送飯過故夫家見其門庭如故花竹依然泣曰「我當日若柔順守婦道何致有今日哉」遂抑鬱死

夫貧求離（二）

潘子璜曰：有友招容者家貧壁立母老弟幼販菜讀書平日澄行功過格凡有所入先敬母後及妻妻王氏厭貧求改嫁容多方留之不允遂聽其去乾隆辛卯容聯捷登第歸謁祖塋其妻道旁見之掩面而過羞忿而死

夫貧求離（三）

虔州周志大爲廣南縣尹生二女長適同邑鹺賈之子趙鄴侯次字同官吳澄道之子慶郎澄道歿於任妻亦繼殂慶郎貧苦無依志大欲悔婚屈於衆議不得已將慶郎入贅相待甚薄其次女復

不賢。視郎如僕。自享珍饈。夫食粗糲。自衣文錦。夫著短褐。獨侍女輕紅識慶郎爲非常人。早晚慇懃照管。一日志大花甲初過。長婿趙鄰侯治觴演戲。遍召親友。慶郎獨坐書齋。無人偢倸。自早到暮。茶飯不至。枵腹難忍。只得尋妻求食。妻方對鏡理粧。一見慶郎。變顏罵曰：「今日嘉客盈門。爾人不像人。鬼不像鬼。不在書房藏拙。來此何意。」慶郎告以腹餒。妻曰：「爾爲男子。自不能贍。反向老婆求食耶。」慶郎亦怒曰：「我胸羅萬卷。筆有千言。何患不得富貴。爾拭目俟之。」妻扯至鏡前曰：「爾試自照。富貴人有此襤褸否。爾宜速去。無令窮氣侵人也。」慶郎回至書房。自傷薄命。計欲自經。忽見輕紅執燈提榼。推門而入曰：「妾因伺應女客。累君受飢餓。特送酒肴。權以充飢渴。」慶郎曰：「小生不才。受妻輕賤。感卿厚意。何以克當。』輕紅曰：「此地不可一朝居。君宜速思自立之策。』生曰：「吾有年伯巫某。與先君交最善。今爲河南布政。久欲往投。但苦路遙無費。』輕紅曰：「妾自十二歲積聚五年之間。約得三十金。盡以贈君。宜努力功名。妾盼君衣錦歸也。』慶郎速夜束裝。不別而行。至河南謁巫。時巫年老無子。愛生才品。繼爲螟蛉。後巫內陞大理正卿。進萬壽聖節詩。命生代作。生詞華典贍。字學酷似鍾王。聖情大悅。立召廷試。欽賜進士。爲翰林。轉監察。巡按江西。御史行部。雷令風行。十分榮耀。抵虔境。仍布袍敝履。至志大家。見其懸彩張樂。爲次女招夫。亦係鹽賈之子。生昂然直入。志大一見。驚懼。語其妻曰：「窮酸來矣。若放出門。必生訟端。不若閉諸幽室。餓死之。庶永斷葛藤也。』乃假作笑容。謂生曰：「賢婿可更衣用饍。小女亦即出來相見矣。」親送至書房內扃戶而去。生淸冷至晚。正在徬徨。忽聞啓鑰之聲。乃輕紅也。曰：「覩君衣履如故氣像軒昂。微服而來。得無故作遊戲乎。」生以實告。示以印章。輕紅笑曰：「賢夫人若肯稍緩須臾。今茲榮顯。誰人敢爭所配新夫。駿而且陋。亦足彰天報矣。」袖出菓餅飼生。因曰：「貪敍衷懷。忘卻天大正事。君知今日危乎。主人閉君於此。欲置之死。以絕其患也。前後已命人防守。君插翅難越。」生大懼。輕紅曰：「掌燈時妾自有計脫君。君勿憂。」生俟至暮。果見輕紅攜簪髻衫裙而至。曰：「今日女客甚多。婢侍如林。混雜難辨。君改粧而出。人自不覺矣。」攜手送出大門而別。次日生發牌到任。盛陳儀從。至周宅。志大以爲按君賜拜。冠帶出迎。下輿則舊婿。慶郎也。慚愧欲死。生曰：「

翁嫌貧愛富將女另適翁自棄我非我棄妻也覆水不可再收舊恩豈容不報吾非尊婢輕紅歷來照管兩次救援死已久矣翁肯以尊婢抵令愛則前怨悉消矣』一志大唯唯領命生令從役以五花官誥送進輕紅束粧畢遍辭上下至次女房中告別方斂衽而拜女忽氣鬱痰壅倒地不起捫之命絕矣後輕紅生三子受一品封。

覆女易嫁

南昌李某業木段某業釘劉某業星命俱以嘉靖歲飢遷楚省金沙洲比鄰鄉戚至厚也李某有姪名橋依於叔工詞藝授徒爲生劉閱其命當貴因爲作伐聘段女隆慶庚子橋將應省試欲娶女偕歸而段妻中變曰『富貴未可期奈何舍愛女適異鄉』乃以

贗女歸之橋與劉皆不知也橋歸即聯捷擢守成都過楚餽遺段父母甚厚其眞女適蕭氏子習賤工日至貧窘私羨贗者得榮貴鬱憤而死 以上妻絕于夫

輕薄喪家

明浙士衛某少年博學娶妻嚴氏貌旣超羣才復出衆夫婦以風流相競不矜小節某聯捷成進士爲翰苑手書寄嚴氏曰「京師花柳地吾已置小星數人足娛衾裯論其才貌與卿相肩其新孔嘉不復舊念矣卿若不妬可速命駕同享富貴」嚴得書知其相戲亦具劄相覆曰「君得有小星妾在家亦獲有小夫此處樂不思蜀矣荷蒙寵召當偕之來京與君相較如潘安衛玠難分伯仲也」某閱畢大笑置之案頭久而忘收被同僚竊去列款上奏革

職永不敍用。某歸家。益縱情聲色。絲竹管絃之聲。日盈於耳。優人。妓女。往來不絕。甚至自塗粉墨。與黎園子弟。登臺演戲。縉紳之體。掃地。豈知身之不修。不可齊家。所生二子。效法前人之樣。不讀詩書。不務正業。後爲優人勾引。至蘇州學戲。流落不返。某夫婦竟無人送老。抱恨而終。孟子曰：『身不行道。不行於妻子』旨哉言乎。

（二）父子篇

（上）善例

教子擇友

常州郭士良。每遇忠信之儒。廉節之士。便虛心禮之。不勝恭謹。常語其子曰：「吾於良師益友。時常接見。便覺行事偶乖。不敢對彼

爾日後交際當以我爲法」後其子所親亦皆正人崇儒重道爲一郡望族

教子行義

陳瑤家居甚貧急於行義語諸子曰：「遇貧乏者宜隨力賑之若須富而後行恐吾終無濟人之期矣」

訓子廉潔

明彭澤爲徽州知府將嫁女治漆器數十使吏送其家澤父大怒焚之徒步詣徽澤驚出迓目吏負其裝父曰「吾負此數千里汝不能負數步耶」入杖澤堂下杖已持裝徑出澤痛自砥礪後政爲天下最。

怒子吝嗇

明嚴震家川南有一人乞錢三百千震召子弼問之弼曰「此患瘋耳大人不必應之」震怒曰「爾必墜吾門只可勸吾力行善事奈何勸我吝惜金帛且此人遽向吾乞三百千的非凡也命左右如數與之」於是三川之士歸心恐後亦無造次過求者

死猶念子

陳石閭言京城有諸生係舊家子偕數友觀劇九如樓召優伶勸酒飲方酣忽一友中惡仆地旁人方扶掖灌救突坐起張目直視先拊膺痛哭責其子之冶遊大累科名次齧齒握拳數諸友之誘引詞色俱厲勢若相搏噬生識其父語聲伏地戰慄殆無人色諸友皆瑟縮潛遁有踉蹌失足破額者四座莫不太息雍正甲寅事石閭曾目擊之但不肯道其姓名耳阿文勤公曰「人家不通賓

客則子弟不親士大夫所見惟嫗婢僮奴有何好樣人家賓客太廣必有淫朋匪友參雜其閒狎昵濡染貽子弟無窮之害」數十年來歷歷驗所見聞公言眞藥石也　以上父對子

不違父訓

昔鵝湖費宏爲翰林時與關中某同年對弈爭勝戲批其頰某不悅公悔日往請罪終不出費封翁聞之大怒乃封號一竹板送至京邸令公自扑公持父書及竹板登其堂自扑三次某始出抱頭而哭公訝問故某曰「公尙有父督責我求督責我者不可得也於是大慟」自此相好如初噫不違父訓如費公者誠人情所難而關中某公數語亦令人悚惕之至

不違父戒

夏璣吳縣人。父嘗夜坐憑窗。月陰中見一白皙少年醉行。父曰：「誰家郎。嗜狂藥若此。」及逼近叩門。乃璣也。父置不言。後登第赴選。父戒以前日狀。遂受嚴教。終身不飲酒。後爲河南道御史。焚黃先塋。撫軍親詣塋前。酌酒半卮以慶。且曰：「塋光矣。可飲此九泉之下。已樂有榮封。少輟戒無傷也。」璣流涕却之。卒不飲。

以上子對父

癡聾作翁

唐郭子儀之子名曖。尚昇平公主。琴瑟不調。曖曰：「汝倚父爲天子耶。吾父薄天子而不爲耳。」主入奏。代宗曰：「此非汝所知。彼誠如是。彼欲爲天子。天下豈汝家所有也。」慰諭令歸。子儀囚曖待罪。上曰：「不癡不聾不作阿家翁。兒女閨幃之言。勿聽也。」

（下）惡例

溺愛誤子（一）

涿郡王瑤溺愛二子。養成惡性。後不能制。而告官。二子俱死於法。後死。次年二月十五夜。城隍廟道士劉進。聞廟中聲喧。起窺之。見王瑤持狀求清明祀。神怒曰。「爾有子不能教。自絕其後。誰供爾祀。」不准。其人大哭而去。明日訪之。乃知瑤已死。

溺愛誤子（二）

清乾隆間。雲南昭通府有一顧姓家頗殷富。生一子。溺愛驕養。至十餘歲。便呼朋引類。日以賭博酒食爲務。父母惡之。惟代還虧欠而已。及親死不三年。卽敗盡家業。妻嫁與人。作賊營生。犯經數次。

官以大索拴石鎖之不放遂凍餓死。

溺愛誤子（三）

相傳有一乞人年三十餘帶一七八歲兒在亭煑飯有責之者曰：「觀汝壯健何不傭工乃作此事耶」乞人曰「是我娘害我」問故答曰「我家原富幼時我祖叫我做工夫我娘護持不肯事事順我凡飲食必供我快意及父祖沒我一事不知日同惡匪往來弄出禍患將家產賣盡妻亦嫁人僅遺此子今欲傭工不曉耕種故帶子覔食豈非我娘害我乎」聞者爲之長歎。

殺兒獻媚

史記易牙名巫善調味齊桓公北伐中山還嘆曰「天下異味皆嘗但未得食人肉耳」巫歸斷兒兩手以啖公自是有寵於公所

言多從。　以上父對子　惟溺愛誤子第三則是母對子。

背親向疏

謝濤屢舉不第。遊至京師。拜御史謝用民門下。問安視膳。曲盡孝敬。御史年老無子。意欲繼爲螟蛉。問之曰：『爾嚴慈無恙乎』濤揣知其意。答曰：『不孝罪孽深重。雙親見背久矣。』御史喜悉親友。寫立繼劵。遂爲父子。應試改用御史三代籍貫。獲中式。意甚自得。不復作還家念矣。其父盼濤不歸。思想成病。易簀之際。强起作詩寄之。有『老病臥床無起色。望兒歸日瘞殘骸』之句。濤得詩。毫不介意。御史微聞其事。心頗銜之。而未發也。有顯宦張某與御史同鄉。以女妻濤。濤見御史桑榆景迫。某宦正在顯赫之時。將向之趨奉御史者。轉而趨奉某宦。視御史漠如也。御史有疾。並不一顧。遣人促歸囑後事。亦推故不來。御史怒。病愈。草疏將其背親負義之處。一一具奏。發法司勘問。法司定爰書。勘得謝濤性比兕梟。心同猘犬。絕裾而不動。望雲之念。既背生父於前。寄養而並無反哺之情。復叛繼父於後。天理盡滅。人道全無。書載五刑之屬三千。而罪莫大於不孝。宜正典刑於西市。勿使偷息於圜扉。罪宜磔。奏。上允之。　右子對父

(三)　兄弟篇

(上)　善例

骨肉同心

吐谷渾阿柴有子二十人。病革時。命諸子各獻一箭。既集。取一箭

授其弟慕利延使折之利延應手而折又取十九箭作束使折之則不能阿柴因諭之曰「孤則易折衆則難摧骨肉同心可禦外侮此其明驗也」

合財同住

田眞兄弟三人議析產貲皆均平堂前一紫荊欲分爲三明日將截之樹卽枯眞驚謂諸弟曰「樹本同株聞將分斫故悴是人不如木也」因悲不自勝不復解樹樹應聲卽活兄弟相感合財同住稱爲孝門夫兄弟居天倫之一合父子夫婦爲三綱故古人有手足之喻焉謂不相離也離則散散財孤孤財滅

大被同臥

姜肱與二弟仲海季江以孝行聞友愛天至常共臥起及各娶相

戀不能別寢。乃作大被共臥起。肱博通五經。就學者三千餘人。嘗與季江詣郡。夜於道遇盜。兄弟爭死。賊兩釋焉。但掠奪衣資而已。郡中見肱無衣服。怪問其故。肱託以他辭。終不言盜。盜聞而感悔。就肱叩頭謝。還所略物。肱不受。勞以酒食而遣之。

大衾長枕

唐元宗爲太子。嘗製大衾長枕。與諸王共之。睿宗知之。喜甚。及卽位。使諸王環居宮側。於宮西南置樓。西曰「花萼相輝之樓」。南曰「勤政務本之樓」。時時登之。聞諸王作樂。必亟召升樓。與同榻坐。或就幸其第。賦詩燕嬉。賜金帛侑歡。諸王日朝側門。所至輒中使勞賜相踵。諸王或有疾。上爲之終日不食。終夜不寢。業嘗疾。上方臨朝。須臾之間。使者十返。上親爲業煑藥。囘風吹火。誤燃其須左右驚救之上曰『但使王飲此藥而愈須何足惜』帝於敦睦蓋天性然雖讒邪亂其間而卒無以搖時有鶺鴒千數集麟德殿廷樹嘗以書賜憲等曰『魏文帝詩「身體生羽翼」甯如兄弟天生羽翼乎頃因選仙錄得神方云「餌之必壽」今持此藥願與兄弟共之』

寢息一堂

北史楊播字延慶弟椿字延壽津字羅漢家世純厚並敦義讓昆季等相事有如父子播剛毅椿津恭讓兄弟旦則聚於廳堂終日相對未嘗入內有一美味不集不食廳堂間往往幃幔隔幃爲寢息之所時就休偃還共笑談

兄弟爭死(一)

衛宣公奪太子伋之妻爲婦。生壽及朔。心惡太子。使之齊。與之白旄。令盜遮界上。見持白旄者殺之。壽知之。告太子毋行。太子曰。「逆父命。求生。不可。」遂行。壽取其白旄而先馳。至界。盜殺之。太子至。謂盜曰。「所當殺乃我也。」盜幷殺太子。

兄弟爭死（二）

漢汝南王琳年十餘歲。喪父母。遭亂。琳兄弟獨守冢廬。弟季出遇赤眉將爲所捕。琳自縛請先死。賊矜而放遣。由是顯名。時齊國兒萌。梁郡車成。二人均因兄弟見執於赤眉。將食之。萌成叩頭。乞以身代。賊亦哀而兩釋焉。後漢書孝行傳

兄弟爭死（三）

後漢。史淳于恭于王莽末。兄崇將爲盜烹。恭請代。盜義之。得俱免。

後崇卒養孤敎誨有不如法。恭用杖自箠。兒慚而改過。

兄弟爭死（四）

漢趙禮遇飢賊欲殺而食之。禮叩頭曰：「母未得食乞命少待。歸家供訖即來就死。」兄孝聞之。自縛于賊所曰：「禮瘦不如孝肥。願代弟命。」禮曰：「禮本遇賊何得殺兄。」賊義之。使俱去。

兄弟爭死（五）

唐陸南金爲太常少卿。盧崇道罪徙嶺南。逃還。南金居母喪。僞稱弔客入道情。南金匿之。爲仇人迹告。詔侍御史王旭捕按。當重法。弟趙壁詣案自言「匿崇道者我也。請死。」南金固言弟自誣不情。旭怪之。趙壁曰：「母未葬。妹未嫁。兄能辦之。我生無益。不如死。」旭上狀。元宗皆宥之。唐書

兄弟爭死（六）

唐王遇與弟遐俱爲賊執。將釋一人。兄弟相讓死。賊感其意。盡縱之。

兄弟爭死（七）

元郭道卿與弟佐卿俱被盜執。將殺佐卿。道卿泣曰：「吾有兒已長。弟弱子幼。請代弟死。」佐卿泣曰：「吾家事賴兄以理。請殺我。」道固引頸請刃。盜相顧曰：「汝孝門。兄弟吾何忍害。」兩釋之。

兄弟爭死（八）

元趙炳幼失怙恃。鞠于從兄。歲饑。往平州就食。遇盜欲殺之。兄解衣就縛。炳年十二。泣請代兄。盜驚異。舍之去。

兄弟爭獄

鄭濂鄭湜兄弟相友善明洪武中有告鄭氏交通胡惟庸者吏捕之湜行曰「弟在其忍使兄羅刑律」濂曰「吾家長當任罪弟無與焉」二人爭下獄上聞之謂近臣曰「有人如此而肯從人爲非耶」宥而擢用之。

讓國不居

伯夷叔齊孤竹君之子其父將死遺命立叔齊父卒齊遜夷夷曰「父命爲尊」齊曰「天倫爲重」遂各逃去武王滅商天下宗周夷齊恥之不食周粟隱於首陽山採薇而食

讓權管理

李光進以沈果稱累戰功至振武節度使有至性居母喪三年不歸寢弟光顏先娶而母委以家事及娶母已亡弟婦籍貲儲納管

鑰於姒光進命反之曰：「婦逮事姑且命主家事不可改」因相持泣乃如初　唐書

讓產寡取（一）

閩人有丁姓者長名岱仲名嵩季名岳岱治家嵩出外經營岳讀書兄弟和好從無閒言岱生四子岳生五子嵩祗生一子甫四齡一日岱謂兩弟曰：「食指漸衆家業未增不若析產爲三各覓生計」嵩曰九世不分傳美千古我兄弟承先人之福蔭不能勉法古人已爲可愧今兄有四姪弟有五姪我惟一子不忍諸姪嗇而我子獨豐請析爲十」兄從之嵩後貿易湖廣有欠賬千金乃岱岳所未知者嵩取討全抵家已大病口不能言但指銀與諸姪手作十字狀而卒兄不忍利其有盡與嵩婦是夕婦夢嵩曰「我與

兄弟推多取少汝何違我之志獨沒千金宜速吐出』婦如其言仍作十分均分丁係自屋從無列宮墻者獨嵩子苦志芸窗未三旬成進士累代書香

讓產寡取（二）

張士選幼孤其叔恩養如已出叔有子七一日謂選曰：吾當與汝析箸剖爲二選曰：『不忍諸兄弟合得其一請爲八』叔不許選固讓乃如選言時年纔十七即預薦入京同舍二十餘輩有術士遍視之指選曰：『南宮高第獨此少年』同舍斥之曰：『吾輩久歷場屋反不及乳臭兒耶榜發後當唾爾面』術士曰：『文章非吾所知但少年滿面陰隲氣故許之耳』及揭榜果然

讓產寡取（三）

江西翰林院沈仲仁。與弟戶科都給事沈仲義。爲爭家產。具控南直兪總憲。批云『鵓鴿呼雛。烏鴉反哺。仁也。鹿得草而鳴其衆。蜂見花而聚其羣。義也。羔羊跪乳。馬不欺母。禮也。蜘蛛結網而爲食。螻蟻塞穴而避水。智也。雞非曉不鳴。燕非社不至。信也。禽獸尚有五常。爲人豈無一得。兄通萬卷。全無教弟之才。弟掌六科。豈有傷兄之理。沈仲仁仁而不仁。沈仲義義而不義。爲祖宗遺業之小忿。而傷手足之大情。有過必改。再思可矣』。兄弟見之。痛哭而回。書此貼于座右。以示子孫。竟同居五世。江西傳爲美談。

各自悔責

施佐施佑兄弟。俱爲知州。致仕家居。以田產有隙。親友日爲處分。不能解。同邑溪亭嚴公。素以孝友聞。事兄如父。是時偶遇佑於舟中語及產事公憮然曰：『吾兄懦吾正苦之徒得如令兄之力量可以盡奪吾田吾復何憂哉』因揮涕不已佑乃惻然感悟遂拉溪亭叩兄且拜且泣各自悔責友愛終身

兄弟悔感

後漢計荆爲桂陽太守到耒陽縣有蔣均兄弟爭財相訟荆歎曰：『吾荷國重任而教化不行咎在太守』遂上書陳狀乞詣廷尉均兄弟感悔各求受罪

兄弟泣謝

明馬俊爲太平知府有兄弟訟者予鏡令照曰：『若二人老矣忍傷天性乎』反覆感勸乃泣謝而去。　以上兄弟互愛

取劣讓佳

薛包與諸弟分財異居。田廬取荒頓者。曰：吾少時所理也。奴婢取其老者。曰：與我共事久。爾不能用也。器物取其朽敗者。曰：吾素所服食身口所安也。後諸弟屢破其產。包復賑之。

以官讓弟

段志元山東臨淄人。唐貞觀十六年疾。帝臨視。顧曰：「當與卿子五品官。」志元頓首謝。請與母弟。乃拜其弟志感左衛郎。

推祿予弟

申積中祖母為楊光素之姑。素以子有瘻疾。積中始生時。光素遂抱為子。後素連生二子。積中曲盡孝友。光素甚愛之。凡兩遇恩蔭。積中力辭。推予二弟。後積中登進士。數年光素卒於餘杭。積中扶柩歸葬。畢為弟妹選名門婚嫁。事完。乃盡以家財付二弟。作歸宗議數千言大抵言所生所養恩皆一也既報所養所生亦不可無後乃歸拜其父母又訪生母杜氏於貧巷生母垢跣抱哭同歸奉事二十年父母死既襄事復以其家產歸本生諸兄自出僦居許光庭薦於朝詔褒美官朝廷復與其一子官

設計顯弟

許武舉孝廉以二弟晏普未顯欲令成名於是割財產爲三分自取肥田廣宅奴婢强者二弟所得悉劣少鄉人皆稱弟克讓以此並得選舉武乃會宗親產三倍於前悉以推二弟一無所留又許荊少爲郡吏兄子世嘗報讎殺人怨者操兵攻之荊聞迎怨者跪曰「世前無狀咎皆在荊不能訓導兄早沒一子願殺身代之」怨家曰「許掾郡中稱賢吾何敢侵」遂委去名譽益著

損已益弟

宋溫大雅字彥宏性至孝與弟彥博皆知名太宗卽位轉禮部侍郎改葬其祖卜人占其地曰「弟則吉不利於君」曰「如子言我含笑入地矣」

餘年代弟

晉王徽之與弟獻之俱患病有術人曰「人命應終而有生人樂代者則死者可生」徽之曰「吾才不如弟請以餘年代之」術者曰「代死者以已年有餘得以足亡者耳今君與弟算俱盡何代也」未幾俱死

親輩弟喪

杜林少好學沈深家既多書又外氏張竦父子喜文采林從竦受

學。博洽多聞。時稱通儒。莽敗。林與弟成。俱客河西。隗囂以爲持書。平後。因疾告去。辭還祿食。囂令强起。遂稱篤。建武六年。弟成物故。囂乃聽林持喪東歸。既遣而悔。追令刺客楊賢遮殺之。賢見林身推鹿車。載致弟喪。乃歎曰：「當今之世。誰能行義。我雖小人。何忍殺義士。」因亡去。後漢書

灼艾分痛

宋太祖友愛其弟匡義。弟有疾。太祖嘗灼艾以分痛。

不聽婦言

牛宏弟弼好酒而酗。嘗因醉射殺宏駕車牛。宏還宅。其妻迎謂曰：「叔射殺牛。」無所怪問。直答云作脯。坐定。妻又曰：「叔忽射殺牛。大是異事。」宏曰：「已知之矣。」顏色自若。讀書不輟。其寬和

如此。

以情化弟

陳世恩萬歷己丑進士。兄弟三人。惟少弟好遊蕩。早出夜歸。屢戒不從。恩曰：『徒傷愛無益。不如以情化之。』乃每夜親候門外。俟弟入。即問以寒溫飢飽等事。愛惜之情。形於言貌。如是者數夜。弟大慙。不復夜歸。使切責太甚。則反成仇。而不改矣。此可謂萬世之法矣。

格弟改過

王旦弟傲不可訓。一日將祭家廟。列百壺於堂。弟擊破之。家人惶駭。公忽外入。見酒流滿路。不可行。并無一言。但攝衣步入堂。其弟感悟改過。

悔悟召弟

江州朱原虛有詩名。父亡時。二弟幼。原虛匿父所遺綾錦十餘篋。二弟流離居外。原虛鄉試屢不售。偶請乩仙降筆曰：「何處西風夜捲霜。雁行中斷各悲涼。吳綾越錦藏私篋。不及姜家布被香」原虛得詩惶恐。召二弟歸。均分。勸勉力學。後俱登第。

友愛庶弟

明天啓間。杭城失火。江西商寓獨無恙。人問之。答云：「恍見朱衣人洒水故免」衆叩其作何善事。謙言無有。後有客於杭者曰：「此吾姪也。父有五子。惟某居長嫡出。餘俱庶弟。父歿時有五歲者。有三歲者。拮据二十年。積至五千金。俟諸弟冠婚畢。會族分財五分均析。一絲一箸。誓不多得。闔族義之。想公道格天。故免災耳。

』（附格言）骨肉失歡有至終身不可解者。良由失歡之後。各自負氣不相下耳。有能先下氣者。與之趨事話言。則彼此酬答。豈不漸如平時。

友愛庶弟（二）

王侍御之妻甚妒。私買妾生一子。潛育於張總兵家。及侍御卒。其子毓俊迎其母子歸。撫愛備至。母曰：『彼佔汝一半家財。吾甚恨之。汝何不慮耶。』俊曰：『貧富有命。不在兄弟之多寡。爲人但讀書。節用。自能興家。若不成才。家富何爲。如魏家表兄。非獨子乎。家財數萬。恃富嫖賭。今一貧如洗矣。』母聞其言。乃大悔悟。不忌其弟。後俊生子甚多。皆顯達。

友愛庶弟（三）

南海方肯堂之父既老。其侍婢有孕。隱而不言。生子不欲舉。肯堂固請曰：「兒兄弟二人耳。幸得季弟。奈何棄之。」後十餘年。父臨沒。目不瞑。肯堂跪泣曰：「大人其以季子未立耶。兒所受分貲業。若不與季弟均分。不誨之使立者。天鑒之。」後肯堂舉於鄉。將謁選。夢父告曰：「天曹所重孝友。汝已登進士第。」覺大異之。明年果得捷。

友愛庶弟（四）

吳興富翁莫氏。老年私一婢。有娠後。遣嫁一賣羹者。已而生男。甫十歲。翁遂死。里中輩小指為奇貨。因語其婢曰：「汝子孰不知莫氏子。其家產應有分。胡不歸取之。不聽則訟之耳。」因作一孝服。被其子。使往。且戒曰：「至靈前拜畢。亟出。我輩俟汝於屋旁。即告官」其子如所敎入其家。哭且拜。家內駭然。嘔罵欲逐之。莫長子亟前曰：「不可。」遂抱背問曰：「汝非賣羹子乎。」曰：「然。」遂引拜其母曰：「此汝母。吾乃長兄。汝當拜。」遍指家人曰：「此爲汝長嫂。此爲次兄。次嫂。當拜。」又指云「此爲汝長姪。此爲次姪。汝當受拜。」拜畢：曰「汝當在此執喪。勿去。」卽命櫛沐。去故衣。易新衣。使與諸兄弟同寢處。又呼其生母至。許以月廩。歲衣。羣小俟久不出。計遂大沮。夫一敦友愛。內全先人之體。外息羣小之禍。不可爲分別異母者勸乎。然世亦有同胞共乳兄弟。往往參商者。揆厥所由。匪止一端。而爭較財物。尤其最著。不知財物易求。兄弟難得。朋友相洽。尙通有無。况兄弟乎。

以上兄愛弟

萬里尋兄

明黃璽兄伯震商于外。十年不歸。璽求之萬里。不得踪跡。後禱南嶽廟。夢神授之以「纏綿盜賊際狼狽江漢行」二句。一書生曰：「此杜甫春陵行詩也。春陵卽今道州。曷往尋之。」從其言。一日入廁。置傘道旁。伯震過之。曰：「此吾鄉傘也。」循其柄有餘姚黃璽字。方疑駭。璽出。問訊。則兄也。遂奉以歸。

歷險尋兄

范某昆季三人。仲季設茶肆在滬。長設分肆于武昌。民國十五年。湘鄂構兵。北軍敗退。武漢喫緊。電音中斷。郵書隔閡。家中雖日遞郵件。茫然不得影響。仲謂季曰：「兄處危境。吾心不安。」促裝往探。入與其妻別。曰：「不得兄。誓不返矣。」妻雖泣不可仰然大義所在。亦不阻。某行。于是自滬而寧。而皖。而潯。聞南軍下漢陽。北軍困守武昌。航路中斷。大驚失措。不得已取道通城。踰越險阻。跋涉山川。餒體凍膚而不顧。血流股足而不恤。日惟冀兄之幸免于難而敘天倫之樂。四處探聽。杳無音息。後聞經代表奔走調停。武昌將大批難民分批開放。聞之。兀立江干。冀得聚首。竚候終日。未見隻影。想必葬身圍城。幾至放聲痛哭。轉念明日尚有三四批渡江。或有一線希望。翌日黎明即起。重到江邊。越三四分鐘。果於萬頭攢動中。見一人似曾相識。近前視之。悲喜交集。一聲大哥。彼方驚駭。回首一顧。視同夢寐。迨互道眞情。不覺慟哭失聲。翌日携手返滬。破涕為笑。親友咸以『難兄義弟』目之。

感母護兄(一)

楊厚母初與前妻子博不相安。厚年九歲。思令和親。迺託疾不言

不食母知其旨懼然改意恩養加篤

感母護兄（二）

王祥弟覽乃後母朱氏所生朱氏愛所生而憎祥祥愈孝母覽亦敬兄祥被母楚撻覽必涕泣抱持母或以非理使祥覽必與祥共作母嘗以酒酖祥覽知其意欲取飲母乃覆之覽後每膳必與祥共及長每諫其母母又虐使祥妻覽又令妻亦趨而共之朱氏緣此遂漸感悟祥後位太保覽九代公卿東晉王氏皆其後也

感母護兄（三）

韋嗣立與兄承慶異母少友愛母遇承慶嚴每笞嗣立輒解衣求代母不聽嗣立即遣奴自捶母感為均愛第進士累轉太府卿修文館大學士拜兵部尚書

感母護兄（四）

陸景融美姿質。寬中而厚外。博學。政有風績。陸象先之後母弟也。象先被笞。景融諫不入。則自楚。母爲損威。至工部尚書。唐書陸元方傳

美宅讓兄

裴楷字叔則。明悟有識量。弱冠知名。尤精老易。少與王戎齊名。風神高邁。容儀俊爽。博涉羣書。特精理義。時謂之玉人。又稱見裴叔則如近玉山。照映人也。性寬厚。與物無忤。封臨海侯。中書令。楷營新宅甚麗。與兄共遊。兄心欲之。而口不言。楷知其意。便使兄住。

讓梨取小

漢孔融年四歲。即知友愛之道。時有人送梨一筐。諸兄競取大者。融獨擇取小者。人問其故。答曰：「我年最少。當取小者。」父老皆

深異之後。黨禍株連。兄弟一門爭死。孝友之風。燦然千古矣。

自責化家

繆彤少孤。兄弟四人皆同財業。及各娶妻。諸婦遂求分異。又數有鬭爭之言。彤乃掩戶自撾曰：「繆彤汝修身謹行。學聖人之法。將以整齊風俗。奈何不能正家乎。」弟及諸婦聞之。悉叩頭謝罪。更為敦睦之行。

焚劵復合

昔趙彥霄兄彥雲好遊。彥霄諫不聽。遂求析箸。五年而兄蕩費已盡。除夕彥霄置酒語兄曰：「弟初無分爨意。以兄不節。敬為兄守先業之半。亦足以供朝夕。請歸仍主家政。」即取分劵焚之。付以筦鑰。更出所蓄。償諸負者。次年彥霄與長子俱鄉薦登第。今人重財物。輕手足。其食報亦可知已。

保兄如嬰

司馬溫公大拜後。與兄伯康友愛甚篤。伯康將八十。奉如嚴父。保如嬰兒。每食少進。則問曰「得無飢否」。天少冷。則問曰「得無寒否」。以首相之貴。愛敬其兄如此。則以富貴而陵鑠兄弟者。眞虎狼不食其肉者也。

視兄湯藥

明黃士俊。廣東順德人。赴京會試。遂聞兄病危。嘆曰「安有急功名而緩手足者哉」。遂速歸。親侍湯藥。目不交睫者十餘晝夜。兄病尋愈。萬歷丙午冬。又北上。將至京。夢入殿廷。拜高皇帝。帝曰「汝來耶。今首用矣」。丁未。果狀元及第。

扶病不避

晉庾袞事親以孝聞。咸甯中大疫。二兄俱亡。次兄毗復殆。癘氣方熾。父母諸弟皆出次於外。袞獨不去。諸父兄强之。曰：「袞性不畏病」。遂親自扶持。晝夜不眠。其間復扶柩哀臨不輟。十有餘旬。疫勢既歇。家人乃返。毗病得差。袞亦無恙。父亡。作筥賣以養母。母見其勤。曰：「我無所食」。袞曰：「母食不甘。袞將何居」。母感而安之。晉書孝友傳

友愛感天

隋韋鼎兄昂于侯景之亂。卒于京城。鼎負尸出。寄于中興寺。求棺無所得。鼎哀憤痛哭。忽見江中有物流至。心竊異之。視之乃新棺也。因以殮兄。元帝聞之。以爲精誠所感。徵爲光州刺史。

冒險尋柩

謝述字景先。少有志行。隨兄純在江陵。純遇害。述奉純喪還都。値暴風。純舫流漂。不知所在。述乘小船尋求之。純妻庾遣人謂曰：「風波如此。小郎去必無及。甯可存亡俱盡邪。」述號泣答曰：「如其已致意外。述亦無心獨存。」因冒浪而進。見純喪幾沒。述號叫呼天。幸而獲免。咸以爲精靈所致也。景仁（述兄）愛其第三弟甝而憎述。及景仁有疾。述盡心營視。湯藥飲食。必嘗而後進。不解帶不盥櫛者累旬。景仁深懷感愧。

蚊不侵螫

南史辛普明至性過人。居貧。與兄共一帳。兄亡。以懸靈牀。蚊甚多而終不侵螫。

誓養孤寡

陝州方揚講業靈谷。聞三從兄忠病將終。亟奔歸。猶及殮。拊棺痛哭而誓曰：「余鮮兄弟。余之身。卽兄之身也。兄今棄予。予今而後。不母視寡。子視孤者。有如此木。」尸聞而吁。乃瞑。揚終身不食其言。後成進士。官杭州太守。

兄毆不怒

宋周文燦兄嗜酒。仰燦爲生。嘗醉毆燦。鄰人不平。燦怒曰：「兄未毆。汝何得離間我骨肉也。」司馬溫公嘗書其事以戒人。

格兄改過

鄭均字仲虞。兄爲縣吏。頗受禮遺。均諫不聽。乃脫身爲傭。歲餘得錢帛。歸以與兄曰：「物盡可復得。爲吏坐贓。終身捐棄。」兄感其

言。遂爲廉潔。均好義篤實。養寡嫂孤兒。恩禮敦至。　以上弟愛兄

爲姊煑粥

唐李勣處閨門。雍穆而嚴。性友愛。其姊嘗病。親爲作粥。風迴燎其須。姊曰：「僕妾幸多。何自苦如此」勣曰：「姊老。勣亦老。雖欲久爲姊煑粥。其可得乎」封英國公。累進司空。唐書

（下）惡例

離間兄弟（一）

長安富室陳大乾生二子。長孟容。次孟達。兄弟極和好。有表親楊雲與達角口。遂懷憤恨。適大乾死。二子分產。雲譖達於容曰：「爾父在時。曾以白金百鎰。珠玉衣飾等項。預授爾弟」於是兄弟有

隙。每以分家不均。費產結訟。相繼凋落。雲忽瞽。遂成廢人。一日過二子於途。兄弟歷數其過。痛罵。雲無言可答。氣成隔症。數日而死。

離間兄弟（二）

淸渤海皇甫松。弟皇甫竹。皆職員。松性刻薄。交接衙門。有武生姜封國爲謀主。遇事武斷。人莫敢攖。竹忠厚無能。閉門自守而已。析居之日。松田園房屋。取其美者。竹之所分。皆薄田敝廬。吞聲忍受。不敢與兄較量。竹妻婁氏。心懷怨忿。每逢朔望。至城隍廟哭訴。詞列姜封國爲巨魁首惡。一日姜在松家敘話。忽瞪目謂松曰「令弟婦告我。縣差來拘要去矣。」言訖昏暈。舁至家。氣絕。心口尚微動。家人不敢殮。時六月念三日也。姜初暈時。覺身與二差行崎嶇山路。天色慘淡。凄涼如深秋欲雨之時。須臾進城。街市宛然都會。

過亡過親友。拱手之外。不交一言。至縣前。兩差帶姜至木器店借坐。一差進衙探聽消息。姜看大門外懸聽審牌。有一起離人骨肉。幫佔家產事。婁氏告姜封國等。看甫畢。差跑出曰：「喚矣」。拉姜從東角門入至堂前跪下。尹年可三十餘。有上髭。無下鬚。紗袍緯帽。一吏在傍唱名。唱至姜。即斥責曰：「兄弟乃同胞骨肉。爾從中挑唆。幫佔家產。情殊可惡。」姜方欲辨。尹曰：「此處不比世間。容爾利口。爾之一舉一動。皆有簿記。奚以辨爲。」命決杖六十。再候發落。唱名吏隨姜至二門外。取扇搧涼。姜進前揖曰：「我有老母少妻。懷抱子女。若羈而不歸。合家俱死。」吏仰天大笑曰：「子眞迂儒也。到此地者。誰無母妻。誰無子女。豈能來而復回乎。」但本官既有另候發落之諭。爾靜聽可也。復聞堂上傳呼姜趨入。尹曰：

「閱爾簿記。惡端甚多。本應罰入地獄。但爾尙有五年頑福未享。可急回傳諭皇甫松骨肉之間。宜平等公道。毋令婁氏再來纏擾。』諭原差速送歸。到一小山頂。二差將姜推墮。一唬而甦。時已六月二十六日矣。親友問慰。姜盡言不敢隱。驗背上杖痕青紫宛然。松聞之。乃退貲產。竹妻亦不敢再赴城隍廟矣。姜逾五年而卒。果應神言。此乾隆七年間事。乃姜親口述者。

離間兄弟（三）

昔有程姓兄弟十人。祖遺財產百萬。長者當事。早則支用多。次者支用遞減。最小者並無支用。兄弟相與安之。未嘗較也。有表叔瞿嗣卿。久掌出納。一日長子檢簿。見其糜費浩繁。變顏相責。嗣卿羞怒。唆其諸弟曰：『公中之產。理應均分。爾兄某年取若干。某月取若干俱侵蝕入已。現有簿可按。可使之吐出也。」諸弟信其言。向兄索找。兄負性不肯出一好言。以致諸弟皆忿。干戈操同室矣。由縣控府。由府上控。兩造爭勝。各通賄賂。寗送官吏。不肯於骨肉之閒稍寬一線。越數年。家皆貧落。嗣卿欣欣得意。一日街上有小兒跳舞云。「城隍附身」一直至嗣卿家。衆隨入聚觀。見小兒至堂中。面南而坐。喝令帶犯人來。嗣卿如有人鎖押。跪於堦下。城隍諭曰：「爾鬬合爭訟。罪惡彌天。宜速報。」即令帶去受罪。嗣卿伏地哀聲震天。須臾甦醒。城隍問曰：「爾受何罪。可對衆宣揚。」答曰：「適過刀山。有鬼使以鐵叉洞胸。拋在刀上。衆刃鑽刺。痛不可忍。」城隍曰：「爾以刀筆害人。應受此苦。」再命帶去。嗣卿哀叫如初。醒後自供。「適有鬼使以木板夾身。從首至足。鋸為兩半。」城隍曰：『爾離人骨肉。應受此苦。』又命遍歷碓舂油鑊寒冰火林諸獄畢。城隍曰：『十八重地獄若令爾今日受盡。則陰曹法無可加。今陽報既彰。留餘以作陰罰可也。』程氏昆季不合信爾挑唆。自相踐踏。神明震怒。祖父怨恫。各各減算奪紀。傳與世人共相勸勉。兄弟之閒宜敦和好。則訟棍浮言無自入矣。吾神去也。』問小兒一字不知。嗣卿不久卒。

離間兄弟（四）

浙江米信夫為人狡柔。里有大家兄弟爭財。因唆弟訟兄。結合官吏破其家而有之。兄弟俱抑鬱死。信夫由是富。遭反謀牽連到縣。見吏儼如其弟。抑令招承。忿而訟吏於府。見府吏儼如其兄。復抑令招承。家產既罄。與妻女子媳八人均死於獄。

兄吝弟忿

嘉定張某有兄弟二人。分產之時。兄應還弟銀一十幾兩。而兄以他項支吾。意欲負之。弟貧且朴。爭之不得。乃質之於先所經手之嫡叔。伊叔以兄富且能。反左袒之。弟忿。乃於康熙丁丑年夏。爲疏一通。焚於邑神之廟。越五日。不見有感應。乃復爲一通以奏之。其明日。伊叔死。伊兄死。己亦隨死。俱追至邑廟。神責曰：「汝三人俱未合死。追汝等來者。爲一詞狀。欲審明耳。」顧其兄曰：「汝實該還弟銀十五兩七錢。奈何圖賴。責三十板。」又顧其弟曰：「此種事。何不訴於陽官。而褻瀆陰府。責二十五板。」又顧其叔曰：「汝爲叔父。何不從公剖斷。乃媚富欺貧。使汝幼姪結訟至此。亦責十板。」審訖發回。而三人已瞑去大半日矣。皆呼腿上甚痛。視其坐

處皆發青紫色各臥十餘日而後起

吞弟產業

閩中富宦倪某年七十娶妾生一子名眞郎已十歲倪老病妾左右侍奉乘間言曰『主翁倘有不諱此煢煢者將何所託』倪曰：『我爲此事籌之熟矣長子爲人好佔便宜我死一應產業勢必全吞眞郎幼孩若與相爭是以羊敵虎萬無生理我有小照一軸爾可愼藏俟眞郎成人遇明白官府持以控告管爾母子受用不盡』一言訖卽呼長子至榻前寫遺囑將業全判執管妾母子撥給東園草房五間日與米二升錢十文爲養贍須臾目瞑長子不候七終將妾母子驅入草房遺命錢米十不給二妾與人縫裳苦捱度日眞郎年已十六時逢除夕長子宅內備極繁華妾母子孤燈

相對灶冷廚荒。淒涼無限。眞郎曰：「兒非父之子乎。產業理應均分。今兄富兒貧。母並不敢言何也。」妾曰：「爾父在日。已慮及此。與我畫一軸。命俟爾成立之日。持畫控官。定有好處。爾年已十六。又新任泰縣主。斷事極明。我與爾合當往控。」遂於開印日。母子呈畫哭訴。泰公展看。乃一年老官員。懷抱幼子。一手指天。一手指地。不得其解。吩咐異日候審。退堂細思曰：「懷抱幼子。乃此子係伊親生也。一手指天。欲問官照天理斷也。一手指地。不知何謂。」乃取畫向日照之。見內隱隱有一指闊。寸餘長紙。摺在內。忖曰：「是必有異。」輕輕挑開裱紙。取出看明。大喜。次日乘轎至倪宅。親勘長子出接。公曰：「爾弟告爾。獨佔家產。有之乎。」長子出遺囑爲據。公曰：「俟到草屋看明。當有公斷。」方至屋。忽作揖遜狀曰：

「原來是倪老先生。」坐定。又作聽語狀。曰：「大公郎如此欺心。卽當重究。」稍停。又曰：「旣老先生爲大郎說情。但二郎何以存活。」又停半晌。曰：「老先生可謂深心矣。如此厚贈。斷不敢當大駕請囘。卽當處分。」又作送客狀。至門外。三揖而囘。遂設公案排衙陞座。喝大郎跪下。責之曰：「妻有大小。子無嫡庶。爾何敢獨據父產。適間我所見穿綠袍。白鬚。面有點痣者。非爾父耶。」大郎叩首稱是。公曰：「令尊不忍爾受刑法。再四求饒。只爾弟母子何以安插。」大郎曰：「父有遺言。日給米二升。錢十文矣。」公曰：「並此亦不用。破費遺囑產業。照舊與爾亯用。只此草房之內。上至天下至地。一切所有俱歸爾弟。」大郎思家業全得又且省錢米。數間空屋。落得應承。遂親寫遵依。公卽命人挖開東首地土。有白銀萬兩。曰：「此爾父分與爾弟者。」挖西邊地土。曰：「此下有幾兩黃金。係爾父送我作謝者。」挖一巨罈。內藏黃金千餘。公立命抬回。徹銀與妾母子。立案。永不許再爭。秦公可謂巧於取財者矣。

弟貧不助

南豐劉徹屢舉不第。祈夢於神。神曰：「汝生平見善不爲。且有虧德。福削壽減。何望登第。」徹訴生平無虧德。神曰：「汝弟負官錢不能助。令死杖下。非虧德乎。」徹又以弟不肖解。神曰：「行道之人。見且不忍。何況兄弟。汝不知朱軾代納青苗事耶。行獲爲善之報矣。」徹覺。訪於軾。軾曰：「今年某遠館歸。見途中械繫者。云欠靑苗錢二千五百。限滿無償。某因以束修與之。不意已蒙神契。」軾三子皆顯官。

減弟自益

陳祈有弟三人。慮其長而均分田產。乃先取田私典於厚友毛烈。迨弟長。止以現在產均分。後以錢贖所質田。烈知其故。受錢。畢竟不與券。祈憤甚。訴之神祠。祈與烈皆死。既而祈還。述其對簿時。烈推持券爲證。王指其心曰：『券何足憑。其憑此心耳』。烈乃伏罪。付重獄。祈以兄尅弟。亦減祿算。釋回。夫祈欲減弟自益。而被烈劫。烈欲減祈自益。而受神誅。暗中銷算。絲忽不爽。可懼哉。

待弟如僕

聞大名娶妻劉氏。父早故。遺有幼弟大經。童養媳吳氏。大名獨掌家業。視大經如僕。劉視吳如婢。供其驅使。稍不當意。輕則罵。重則打。兩人素被降伏。見則魂銷胆落。不敢較也。大名夫婦食則珍饈衣則錦綉。大經與吳氏鶉衣藿食而已。其母年老忠厚。落在長子之手。欲持公道不能。大名屢賣產業。將銀入己。母曰：「父生爾兄弟兩人。爾今日賣房。明日賣地。業將罄矣。幼子長成。將何爲生。」大名反抗聲對曰：「若一家閉口不食。則不用賣矣。」母嘗竊布一疋與吳氏作裏衣。劉氏知之。搜其篋奪去。曰：「爾夫婦吃我現飯。安享自在。尚欲著新袴耶。」後劉氏生女。吳氏在房服事。由朝至暮。不得食。母憐其饑。呼出與湯飯雞子。劉氏忿怒。從床上躍起。奪過倒淨桶中。母仰天大哭。須臾黑雲四佈。雷電交加。霹靂一聲。將淨桶劈開。雷神被血汙觸。不能飛騰。落於產房牆外。萬目共見。神猴形兩翅。與廟中塑像。不甚相遠。大名遍延道。士誦經禳解。數日方不見。劉氏每遇陰天。卽頂血布於首。以防再擊。一日天氣晴明。劉氏方折榴花插鬢。忽雷聲大震。將頭顱劈碎。榴花尚在其手。大明亦得瘟症而死。母搜出歷年貪婪之資及私置田房紙約盡與幼子執管所生之女。大經夫婦撫養擇配。其壻復不成器逃走不歸。女依叔嬸終老。

壓迫乃弟（一）

世說。曹丕欲害弟植。令七步成詩。不成定行大法。植即吟曰：「萁豆燃豆萁。豆在釜中泣。本是同根生。相煎何太急。」丕慼而釋之

壓迫乃弟（二）

漢文帝之弟淮南厲王長謀反。廢置蜀郡。不食而死。民歌曰：「一尺布尚可縫。一斗粟尚可舂。兄弟二人不相容。」

囑縣管弟

朗陵一舉人某。性極貪。一同堂兄是白丁。與富家訟。舉人密受富家賄。反囑縣官笞之。縣官責至十板。其人曰：「乞看我兄弟情面」官問其弟為誰。曰：「某舉人也。」官不信。問左右。皆曰：「是也」官喟然嘆曰：「孔方兄勝於同堂兄如此。」竟釋之。後舉人無子。以堂兄子為嗣。知其事者。咸鄙笑之。

斃弟于獄

江西過東明家富。庶弟貧無賴。東明斥逐之。弟欲甘心焉。東明懼。以他事斃之獄。未幾。見弟蹌踉入廄。趨視之。馬已生駒。東明知弟魂所託。頗為戒心。駒則絕馴擾可愛。東明復憐之。然終未敢近。鬻之近村。復潛返。見東明作依戀狀。東明忘夙戒。手撫摩之。益弭耳以聽。至於逼近。連踶之中腹。遂仆地死。

迫賣弟婦

崇貞末吳江民張士柏妻陳氏少寡其兄士松強賣於徐洪爲妾氏號慟誓死陳父訟縣洪賄鄉官飾詞以進縣令章年祖坐陳于律拶指批頰繫於獄陳飲泣絕粒者三日走雲間訴寃於直指路振飛訴畢自刎路公急下堂拱揖許以雪寃目乃瞑路公拜疏上聞諸凶輕重抵罪士松與洪等立斃杖下章貶斥至郡辭任見滿船皆鬼卽死先有俞嫗爲媒者不滿三日亦暴死某鄉宦之婪賄囑託者猝病瘖啞終其身不能言時有記傳輓歌無不嘆爲異事幷驚傳受囑枉害之報神速如此　以上兄負弟

弟暴兄過

晉臧成翰兄弟自相懷忌成翰以監司守制家居同祖弟冏翰爲

待詔宣言於朝。暴成翰居喪不法狀落職。山濤判曰：「吳起忘母。見絕於曾參。楚直證羊受誅於孔子。皆乖彝理。並玷士林」嗟乎仕途之險也。乃至兄弟相訐。其見斥逐於山公也。快哉。

不再欺兄

殷貴數欺其兄富。病死復生。匍匐向殷富叩頭曰：「自今再不敢欺兄矣。城隍責我欺兄。要杖一百。我大呼願改過。遂放我還。但見隣人鄭優一家。因不孝不弟。陰間拷掠慘酷。不知他家今何如」家人曰：「鄭氏家疫死矣。」

欺兄無嗣

清顯宦某公。年六十無子。夫人性嚴妬。不容娶妾。公屢諷之。不聽。乃將家業兩分之。一半與其弟。一半留供自已薪水。一日內陞戶部。命弟備禮物。帶往京中送人。弟在已篋中檢點。其妻奪住曰：「老絕戶無子。我僅得家財一半。還譏誚我夫妻吃伊現成茶飯。我恨之深矣。願他所有之貲破散無存。異時落在我手。方遂我志。尙肯將分定之物。爲伊裝臉面耶。」夫妻正在爭論。夫人適過窗下。語語聽見。而老絕戶三字。尤傷其心。乃含忍不言。公起程之日。夫人推病不行。俟公行後。乃大出貲財。遍選二十內外精壯女子五人。覓舟親送至京。時公與客鬭葉子戲。聞夫人至。不覺大驚。墜葉於地。至輿車迎接。握夫人手曰：「何不同來。乃獨行耶。」夫人曰：「我爲君送妾來也。」公不知其故。不敢答。安頓行李畢。令五妾出拜。皆端正好女子也。公狂喜不禁。惟感荷而已。夫人撥房令五妾各居。按其經凈時。挨侍公寢。期年得三子。又二年得二女一子。

公向苦無嗣。今則兒女滿堂矣。夫人乃命治裝携二子一女回家。公愕然曰：「感夫人賢德。使我無子而有子。方欲同享富貴。奈何欲捨我而去乎」。夫人曰：「我有積忿在心。數年不忍言。今幸有子女。欲歸與二叔算賬耳」。遂至家遍請親戚。召叔嬸責之曰：「爾一向享用。並非祖宗遺留。爾兄螢窗雪案。我淡飯黃虀。時爾夫妻安在。享我現成之福。反罵我爲老絕戶。又願我家破財散落汝之手。此等惡願。天道不容。我聞兄無子而後弟得有其業。今我有子有女。爾何得侵佔我產。乃慫衆將向所給者盡行收回」。叔嬸懊悔無及。抑鬱成病。夫妻雙亡。祗存一子。仍依夫人過活。

偏聽婦言

尤守靜尤守謙同胞兄弟也。守靜娶張氏舊家女。粧奩甚薄。守謙娶汪氏。係暴發之家。粧奩甚厚。張巧而智。汪才而狡。一矜家世。一誇富有。漸成嫌隙。雖同盤飲食。不啻吳越。又有兩房婢女。尋事生風。各爲其主。隨張者則搬汪之是非。隨汪者則言張之過失。守靜守謙。聽枕邊之言。如奉將軍之命。令到奉行。雖死無二。以致兄見弟如眼中之釘。弟視兄如背上之刺。骨肉之間。終日忿爭。並無寧晷。親友出而解紛。勸其析居。以息爭端。將一宅分爲兩院。從中塞斷。兩家自是不相往來。雖歲時伏臘。並不見面。張氏連生四子。汪氏無出。不怪自已命運。反遷怒於張。隔墻言三語四。張氏又不肯裝聾。聞聲對敵。妯娌之間。又復譁然矣。一日有堪輿家謂守謙曰。「君父母葬地偏左。故長房多子。若移置當中。則兩房後嗣俱盛。倘遷於右首。則次枝茂長。枝絕矣。」守謙信其言。多帶人工。將兩柩連夜改葬，守靜得知，以逆弟滅倫，掘墓毀屍等事，赴縣呈告，縣令大駭，親往驗之，則封築一新，松楸如故，訊得其詳，援筆判曰：「守靜守謙，聽葉底之鶯聲，折天邊之雁翼，田荊頓萎，姜被成冰，改葬既屬愚迷，毀屍尤為誣枉，各重枷示，為不友不恭者警，其張汪二婦，立拏到案，用繩縛手，坐竹兜上，背插白旗，各書長舌喚夫離間骨肉，令遊街三日釋放」後守謙終於無子，守靜亦家業陵替，二婦俱不令終，乃骨肉忿爭之驗也。

退步想想

朱節孝先生曰：「人家兄弟，胸中嘗要把兩箇念頭退步想，當養生喪死時，譬如父每少生一箇兒子，當分家授產時，譬如父母多生一箇兒子，一團爭氣，自然冰消瓦解了，無奈今人兄弟為父母用財。便互相推諉。以致父母生失養。死失葬。父母的財。又互相爭競。往往富的破家。窮的越窮。噫。當父母生子時。多生一箇兒子。便添一番歡喜。不料就是多增一箇禍害。豈不可痛。至於情意疏落。兄弟經年不會面。雖無骨肉忿爭之患。亦少兄弟和好之樂也。可惜。」

（四）叔姪篇 附叔嫂

抱姪棄子

漢劉平於更始時。弟仲爲賊所殺。後賊復至。平扶侍母奔避。仲遺腹女始一歲。平抱仲女而棄其子。曰：「力不能兩活。仲不可以絕類。」遂與母俱匿。後舉孝廉。

以子易姪

魏張範子陵及姪戩俱為賊所執範求還二子賊以子還範曰「吾憐姪小請以子代之」賊義之俱還焉

棄子全姪

晉鄧伯道當趙石勒作亂擔兒與其姪綏同逃伯謂妻曰「吾兒與綏不能兩全吾弟早亡惟有此子理不可絕寧棄吾子後復有生」妻泣從之乃棄己子其妻不復孕卒至無後謝大傅哀之曰「天道無知使伯道無兒」

挺身救姪

元至正中黃州妖賊自閩犯龍泉張溢與孤姪存仁避亂山中存仁為賊所獲將殺之溢伏澗傍挺身出語賊曰「我兄早亡止存此子不可無後我願以身代」賊義而捨之

成名報伯

黃鍾延生四歲而孤。育於伯父。伯貧甚。夫婦日食糟糠。偶得米精。皆食鍾。鍾感其意。纔六齡。泣告伯父「願得讀書成名以報翁媪」然伯貧不能具脯脩也。一日州守蔡公夢神謂曰「郡中有一兒。他日當作順天府尹。今貧不能學。然有一念之善。感動神明。公可賙之。又此兒日在廟中戲。至履吾肩」明日州守詣廟。仰視衣冠。一如夢中。而神肩果有小兒履痕。守召廟中羣兒。慰而問之。乃鍾所爲。召問狀。蓋欲上探雀鷇（音寇鳥雛也）也。因詢其家世。備知貧狀。守卽月給米一石。令伯養兒。又求一明師送令敎習。自出束脩供之。後三年守當去。鍾方十歲。業能爲文。然守竟不泄夢中語也。至十八歲領鄉薦。旋第進士。守巳致仕歸。徑來視鍾。方以

夢告之鍾拜謝事以師禮後果官順天尹伯已先歿媼又他適鍾事之惟謹孝養逾於所生云

愛伯與弟

元扈鐸早孤育于伯父及壯事伯如所生伯老而無子鐸爲置妾產一女妾不慧熟寐壓女死伯父死遺腹生一男鐸懲前失嘗自抱哺同臥起弟有疾鐸夜稽顙哀天曰一鐸父子間可去一人勿喪吾弟使伯無後一明日弟愈

事叔如父

唐柳公綽身處富貴而事叔如父公卒其子仲郢事叔公權如事其父爲京兆尹時出遇公權郢下馬端笏而立

叔姪感泣

蘭谿縣有叔姪同居。叔欺其姪。盡佔亡兄之產。姪無可奈何。往金華府將控之時。當盛夏。憩井亭。見一赤蛇上樹。自投於地。盤結少頃。又上樹。擲下復結。如此八九次。變爲巨鼈。其姪惡之。前行至飯店。俄頃其叔亦至。持一鼈付店將烹之。姪詢其得自亭井。遂力阻其勿食。叔固欲烹之。姪告以所見。衆不信。遂於烈日中繫鼈尾倒懸樹上。久而漸長。復化爲蛇。叔乃抱姪感泣。相與歸家。推所佔者與姪均分。式好如初。

疏訟叔冤

唐武后僭位。殺戮宗族。大開訐告之門。株連牽累。死者不可勝計。有裴尚書被仇家所誣。棄市。其姪仙客年十七。上疏訟冤。后庭訊之。謂爾年少。何能爲。必有人所使。仙客抗言曰。「忠孝出於天性。

何人能使陛下當論臣言是與不是不當問其他一后大怒命杖一百纔四杖氣絕武后定法人死猶須杖滿執杖者憐其少且已死以下諸杖備數而已至九十九杖復甦安插邊遠回紇可汗雅重漢人見裴係名臣後裔且通文墨使教諸臺吉委之以事靡不妥協遂以女妻之裴由是富有金帛種田則倍收牧馬則蕃息與中國通市得利千萬自成部落富堪敵國矣由邊至京驛遞皆其佈置之人朝中之事纖悉畢知時徐敬業起兵討武后國中有事裴乘機欲歸偕妻奴婢三百餘人裝車數百輛馬數百匹連夜私遁回紇怒遣兵追之裴率家僮拒之不勝被執回紇以愛女之故不忍加誅拘禁之以待朝命時敬業之亂既平武后恐前此流人更有異謀遣官安插實暗令殺之也差官承意旨盡殺之裴係待

命之人。反獲免。差官回朝復命。后變顏曰：「朕命爾安插。何故擅殺。」立付法司典刑。下詔凡屬流人。盡赦罪回家。其意以爲流人俱盡。故施恩以爲掩飾之計。裴適逢其會。遂得歸。時張柬之謀誅武后。退居後宮。中宗即位。念裴冤。復其家。累官尚書。計裴一生爵位財產。皆不期而至。可謂福祿隨之矣。

佔姪基地

吉水周傑。佔其孤姪地基。造樓二間。姪不敢爭。惟焚香訴天。宏治二年五月十八日。忽大風雷。移其樓於他處。空還舊地。不差尺寸。傑跪基上不能言者七日。始曰：「吾已知欺孤之罪矣。」不二年。竟惡疾死。

縱姪不教

張二酉三辰兄弟也。二酉卒。三辰撫姪如已出。田產婚娶。殫竭心力。姪病療。經營醫藥。殆廢寢食。姪沒。辰忽忽如有失。人皆稱其友愛。越數歲。辰忽病。昏瞀中語曰：「頃到冥司。二兄訴我殺其子。斬其祀。豈不冤哉。」自是口中時喃喃。不甚可辨。一日稍蘇曰：「吾知過矣。兄對閻君訴我言「此子非不可化誨者。汝為叔父。去父一間耳。乃知養而不知教。縱其所欲。惟恐拂其意。使恣情花柳。惡疾以終。非汝殺之而誰乎」。」茫然無應」

負兄逐姪

信州劉君祥病將死。召弟君祺。以幼子付託。及兄死。君祺竟逐其子。貪其財業。後五年。君祺宴客。忽大呼曰：「兄來矣」。頓嘔血。扶歸。胸忽裂開。見其心如炭黑而死。

負兄欺姪

嘉靖時。寶坻民楊咸。其兄成富於貲。將死。出千金泣授咸曰：「兒幼。恐不能掌。弟可有之。俟兒長成。當給其半。」咸許諾。既而不與。成妻訴於邑令張公。不能決。適獲羣盜在側。盜見咸。呼曰：「此人素貧。今暴富。皆同吾劫貲也。」咸遽曰：「吾乃亡兄所寄。豈盜耶。」令笑曰：「此天遣盜爲爾兄語耳。」遂盡判與兄子。

賣孀求財

海甯。茶磨山。史檮。康熙丙子。欲赴鄉試。貧無資。商於父曰：「孀年少而寡。恐終不了。何勿嫁之。」父以爲然。囑媒嫁於農家。而鄉俗再醮者。里中皆得染指。史僅獲五金。挾之登舟。妻即疾狂。作亡叔語曰：「汝夫求功名。乃爲此滅倫事。吾不拆汝夫婦不休。」其父禱之無效。禱入闈。精神恍惚。兩場俱見其叔罵曰：「吾必殺此無行禽獸也」一出闈至寓。病不能進三場。急買舟回。離家十里死。訃至。妻病愈。

以上叔姪

虔侍嫂疾

顏含少有操行。以孝聞。嫂樊因疾失明。含課勵家人。盡心奉養。每日自省藥饌。察問息耗。醫方須蚺蛇膽。尋求備至。無由得。憂歎累時。嘗獨坐。忽有青衣童子年可十三四。持一青囊授含。開視。乃蛇膽也。童子逡巡出戶。化爲青鳥飛去。嫂病即愈。由是著名。

嫉妒夫弟

陳平少時。家貧好讀書。有田三十畝。獨與兄伯居。伯常耕田。縱平使游學。平爲人長美色。人或謂平曰：「貧何食而肥若是」其嫂姊平之不視家生產。曰：「亦食糠覈耳。有叔如此。不如無有」。伯聞之。逐其婦而棄之。

謀奪嫂產

溧陽狄某任雲南定遠縣知縣。里有富翁死。妻掌其家財所遺數萬金。其叔謀欲得之。遂告于狄。賄人囑縣曰：「追得若干願共中分」。狄喜。拘嫂到官。酷刑拷訊。痛苦不勝。于是悉奪所有四萬金。狄果分其半。婦含羞飲恨。不數日卽死。未幾叔被火焚斃。狄亦贓酷罷歸。一日晝寢。忽見前婦持一小團魚。擲于身上。倏然不見。越數日遍身生疽。如團魚狀。以手按之。四足俱動。痛徹骨髓。乃廣延醫藥。費其分獲之數。復洞見其肺腑而死。凡五子七孫。俱生此疽。相繼而亡。　以上叔嫂

（五）宗族篇 附親戚

七世同居（一）

晉汜毓奕世儒素。敦睦九族。逮毓已七世。同居。人號其家。兒無常父。衣無常主。汜氏敦睦如此。眞禮運所謂不獨親其親。不獨子其子。力不必爲己。貨不必藏己者也。能如是。則世治臻極。而可即於大同矣。

七世同居（二）

北史郭世儁家門雍睦。七世同居。犬豕同乳。烏鵲同巢。人以爲義。感隋文帝遺使勞問。表其門閭。

八世同居

元張閏八世不異爨。家百餘口。無間言。日使婦女聚一室爲女工。工畢。貯庫。無私藏。幼稚啼泣。諸母見。即抱哺。不問孰爲己兒。兒亦不知孰爲己母。縉紳之家。自謂不如。

十世同居

元鄭大和家。十世同居。凡二百四十餘年。一錢尺布。無敢私。大和繼主家事。益嚴而有恩。子弟有過。須白者。猶鞭之。每歲時。大和坐堂上。羣從子皆衣冠。鴈行立左序下。以次進拜跪。奉觴上壽。畢。肅容拱手。自右出。足武相銜。無敢參差。見者嗟慕。謂有三代遺風。大和教冠婚喪葬。必稽朱子家禮而行。執親喪。三年不御酒肉。子孫從化。皆孝謹。雖嘗仕宦。不敢一毫有違家法。諸婦不預家政。宗族里閭。懷之以恩。家畜二馬。一出則一爲之不食。其孝感如此。

十三世同居（一）

宋江州陳昉十三世同居。長幼七百口。不畜僕妾。上下姻睦。人無間言。每食必羣坐廣堂。未成人者別爲一席。有犬百餘。亦置一槽共食。一犬不至。羣犬皆不食。建書樓于別墅。延四方之士肄業者多依焉。鄉里率化。爭訟稀少。知州張齊奏請免其徭役。

十三世同居（二）

姚宗明其十世祖棲雲之父。于唐貞觀中。調卒戍邊。語其兄曰。「兄無嗣。可毋往。弟幸有子。請代兄行。」遂戰沒塞上。時棲雲三歲。其母再嫁。養于伯母。既長。事伯母如母。伯母亡。棲雲痛父死于邊。乃廬墓終身。自棲雲後。十三世同居。孝睦不替。家世爲農。無學者。家頗富。有田數十頃。聚族百餘人。躬事農桑。歷三百餘年。無異詞。

者。經五代兵亂。而子孫保其墳墓。不相離散。求之天下。未或有焉。

三百年同居

浦江鄭濂三百年居不別籍。人號其里為義門。太守旌其門曰：「天下第一家」。明太祖即位。召至問曰：「汝家有若干人」。對曰：「一千有餘」。上曰：「眞天下第一家也」。時馬后壁後聽之。謂太祖曰：「陛下只以一人舉事。今鄭某一家千餘人舉事不更易耶」。上驚。復召問曰：「汝睦族亦有道乎」。對曰：「無他。惟不聽老婆言耳」。太祖大笑。時河南進香梨。因賜二枚。濂雙手擎梨于首而出。上命校尉瞷之。至家。召族人。立兩傍。向闕叩首謝恩。置水兩大缸。碎梨入其中。分飲其水。太祖聞之而喜。

祿俸恤族

范文正公嘗語諸子曰：「吳中宗族甚衆。于吾固有親疏。然以祖宗視之。固無親疏也。吾安得不恤其飢寒哉。且自祖宗積德百年。始發于吾。得爲大官。若獨享富貴。不恤宗族。異日何以見祖宗于地下。今亦何顏入家廟乎。」于是祿俸所入。悉均族人。置義田千畝。凡嫁娶喪葬。皆有賑給。

置絮衣族

袁了凡初無子。後生子儼。其妻爲作冬襖。將買絮。袁曰：「絲綿輕煖。家中自有。何必絮。」妻曰：「絲貴絮賤。吾欲以貴易賤。多置絮衣。贈族中之寒無衣者。」公喜曰：「誠如是。此子壽矣。」後儼登進士。不獨壽而且貴。

感化族姪

麻城劉仲輔家貧自少仁恕與夫人董氏初婚之夕有偷兒入室公驚起視之乃所識者因曰「想汝以貧故至此」即檢夫人首飾幾件與之囑曰「汝速改行爲善我必不言」後夫人常問爲誰公曰「已許不言矣」公享壽八十有九吉慶之事歲歲不絕子孫俱發科甲登顯秩封誥盈庭及公歿有一族子觸棺痛哭其人頗有善行疑即前之偷兒也

湯餅會族

嘉靖間楚劉漫塘每月朔必治湯餅會族人曰「宗族不睦多起於情意間隔今日會飲非以酒食爲禮也有善相告有過相規或有事相牴牾者彼此一見亦相忘於盃酒間」此會良有補益也

對族忍耐

陳忠肅公父嘗爲同族所虐。適族中有同怨者。告翁曰：「某無理甚。我欲訟之官。煩君爲證。」翁力爲勸阻。其人曰：「某有大怨於君。君得不恨之耶。」翁嘆曰：「宗族間何忍言一恨字。彼特學問未至。我與君既知理義。當以忍耐爲主。安可效尤。」乃止。

餽問族孀

明侯始覲族繁。有婦人新寡者。覲聞之。必使婢頻頻問餽。爲之策長遠。令婦可以溫飽。人問之。覲曰：「婦無夫。已不若人。再無養。何處求人。不由我不矜恤也。」族婦有守節三十年者。覲必約鄉里公舉。賴以建坊者不下十餘家。後生子爲總戎。覲受封焉。

省財恤宗

廣西丁光昌家巨富。衣食甘淡泊。婚嫁不奢侈。其妻曰：「爾不知享福要財何用』昌曰『吾看破世間苦人甚多衣食不給婚嫁不能者目下不知凡幾吾有何德安享自然之福乎但念現在之福能惜將來之福自長將所省儉之財先恤宗親後施鄉黨强爲善而已矣吾夜分多至三鼓不寐者蓋爲此也』後子孫繁衍覺成文武世家

逼孀再醮

海寧貢生查容有族叔死家富無子容利其產逼孀馮氏再醮馮誓守節堅迫之遂投繯死後容赴京兆試首場見孀突至且哭且詈以手掩其卷遂昏迷不終場而出乙卯秋復與鄉闈纔搆思孀至哭詈如前推之仆號板下亟出馳歸孀隨至家索命未幾死一子止數歲臨絕時見孀戟手罵曰『當幷其種去之』相繼暴亡

一　紛家爭

晉惠帝性騃鷙。時賈后專政。趙王倫廢而殺之。乘勢奪惠帝璽。入宮稱帝。于是齊王冏成都王穎河間王顒共舉兵討倫。殺之。後又各自爭雄。與長沙王乂東海王越淸河王覃交相攻擊。不數年。漢主劉聰入寇。悉爲掃蕩。靡有孑遺。

訟爭兩敗

吉迎祥富有資產。又中武科。雄視一鄉。人莫不敬畏。族兄吉又周名列宮墻。與迎祥素不相合。有白石數塊。又置河邊。備修祖墓。時迎祥中式。建旗立匾。無處覓石。遂取而用之。又周知而理阻。迎祥使人謂之曰：『木本水源。何用惜此微物。異日彼自加倍賠償。』又周曰：物各有主。渠不告而取。是以武舉欺人。決不能許。』迎祥怒曰「好意相求。渠反不識擡舉耶。」鳩工數十人。連夜興造。又周亦約數十人往奪。兩造持械對敵。各有損傷。縣令飛輿前來禁止。帶回訊究。迎祥賄囑石工。認爲原主出賣券爲據。又周所供久遠無憑。將石斷歸迎祥。又周發學戒飭。忿而控諸府。不得直。又上控臬司。亦以縣案確鑿。不准審理。又周因氣惱。遂得重病。歿於旅邸。其子爲父伸寃。興訟三年。迎祥罄資打點。雖不問抵。而家業從此盡矣。一日突起風雷。將旗杆折爲數段。擊石如粉。計迎祥恃有家貲。任意橫行。始則強取。既則強求。目中全無本支。卒之身敗囊空。風雷示警。報應昭昭不爽。而又周以一石之微。不能忍氣。以致客死他鄉。亦足爲任性執拗之戒云。

族弟負義

明王之巽未遇時。有族兄供給讀書。一衣一食皆仰賴於兄。嘗謂兄曰：「厚恩自有報。」一日後成進士。赴京謁選。其兄復典賣田產與爲盤費。未幾巽選江南某邑令。兄窮困無奈。往任所抽豐。巽不念前恩。但薄贈之。兄曰：「我此番來。欲尋一生路。以此回家。必塡溝壑矣。」巽終不顧。兄含怨而去。越一載。巽革職。狼狽旋里。族中有百餘人。迎於里外。大聲曰：「此負恩人也。」爭指罵之。巽慚憤不敢辯。尋病而死。

攻訐族叔

席益有堂叔尙文。家貲甚豐。益屢貸不償。久而生厭。不應其請。益懷恨。欲中傷時。尙文犯賭。被獲到官。通詳未審。適値歲荒。斗米千錢。府縣出示勸捐。尙文捐米三百石贖罪。府縣以饑民待哺甚急。

允其請。尙文免罪後。發憤讀書。應童試。府縣皆居第一。入泮。益喜曰：「前仇可報矣。」乃赴學院出首。謂尙文係犯賭罪人。不應辱宮牆。學院飭查。果有其事。褫尙文衣衿。府縣均遭叅處。益姻親富戶陳某早死。有妾春桃。生遺腹子。已十六歲。益涎其產。勾地棍孫大漢冒認爲父。云十六年前。春桃憑益買伊子作己子。告官。出僞約爲據。益從中證之甚力。官亦不能斷。忽有老人傍視不平。上堂「云某向充該坊鄉約。十七年前。大漢行竊事發。充徒五年。現有案卷。渠流落在外。至前歲方歸。娶妻安得有十六歲子。」官檢案果然。二人俱重責枷示。益自此爲宗親所不容。困苦顚沛。竟同於乞丐。尙文由例捐知州。時値赴任。賀客盈庭。益穿襤褸衣。跪門求助。尙文曰：「前此首官。叔姪之情安在。眞畜類也。吾看祖宗一脈有賀猪羊銀十兩。今以給汝。若不改悔。則猪羊不若矣。」翁叩謝而去。後街上閒行見春桃之子遊泮。衆旗拜客。人指笑曰：「此係孫大漢之子。爾作中出賣者也。」翁掩面羞愧。不敢回答。

附親戚

還財妻弟

昔張孝基爲某富翁壻。翁止一子。甚不肖。逐出。翁死。遂盡以家財付孝基。數年見其子乞於路。召問曰：「能灌園乎。」曰：「得就食甚幸。敢少惜力乎。」復召問曰：「能管庫乎。」曰：「管園已幸。敢望管庫。」久而視其謹愿無復故態。乃盡舉家財還之。後孝基有友遊嵩山。見孝基儀衛如王者。詢其自答曰：「上帝嘉我還財一。

事命主此山』言訖不見夫承受之財倘還人況原係假借者乎

焚券還奩

劉思文流寓蜀中成都楊某納爲婿既而謀歸竊見妻與母兄議事有不豫之色問其故曰『父存日議以田四十畝爲嫁貲邇來事多鬻之幾盡今僅能一半適立券爲此不安也』劉取券焚之曰『豈有爲人壻而逼其家以爲粧奩者』竟携妻歸極其和好後登第官至侍郎今之爭競賠房而不和者盍視此

不禮外兄

周維少偃蹇嘗寄食于外兄家外兄待之甚厚後遇陶侃授參軍之職外兄以有前恩不憚千里往謁候門數次方得一面詞色甚倨不記舊日之恩外兄憤然而去侃聞而不平時蘇峻亂維亦汗

馬。至平定論功。他人俱膺爵賞。惟周獨無。後以尅減軍糧。死于兵卒之手。

勢利丈人（一）

周淸源娶督標張遊擊次女爲妻。張係行伍出身。不知文墨。見周談詩論文。心竊厭之。長壻林誠嫻弓馬。官守備。爲所深喜。兩壻旣分愛憎。兩女雖俱親生。相待亦多偏枯。長女歸甯。則乘輿進中門。父母笑語相迎。家人慇懃伏侍。一切管待。如款上賓。次女來。則由角門而進。粗飯菜羹。如待下人。女亦性傲。非有大事不歸。周屢困小試。不能得靑衿。內兄弟皆以老童生呼之。一日長壻牽差過臺。帶梹榔囘。內兄弟羣聚而食。周適至。取一枚食之。衆曰：「此物消食。汝食他何用。」周笑而受之。時逢開鴻詞科。周以布衣上京應試。得列優等爲翰林檢討。京報到閩。時張遊擊方侍制府早堂。制府賀曰：「令壻喜信汝知之乎」。張錯認是長壻。對曰：「林誠官守備已出望外。何敢更萌妄想」。制府笑曰：「此何足道。我所賀者。令次壻周某。欽點翰苑耳」。張叩謝畢。即飛馬回署。時署中正延女賓演戲。長女盛服居客位。次女另在一處。以布幕遮之。張氣急汗流。謂其妻曰：「二婿恭喜作翰林矣」。衆女客褰帷爲女道喜。或送衣裙。或送珠翠。邀與同席。女微哂曰：「寒士之妻。那有此福」。所贈一切不受。張令鼓吹開門。衆僕簇擁送歸。周後點學差。回籍祭祖。內兄弟皆出郭迎接。周不提前事。惟各送梹榔一盒。以愧之。數年後。林亦陞三邊副帥。周以僉都奉勅巡邊。檄林介冑伏道。至夜持籌報更。周於帳中作詩曰：「赤羽。金戈。百萬兵。指揮如

意聽書生當年曾記居前席今夜轅門報五更」此可見人生窮達有命彼偏憎偏愛者祇自形其勢利耳

勢利丈人（二）

一大將嫁女於趙悰悰久不第婦黨輕之一日軍中高會女不得不往然以婿貧困衣裝敝陋不比數於衆衆取錦帷以隔絕之忽抄榜來趙已登第大將馳呼曰「趙郎已及第矣」衆即撤去帷帳引女並座曲致殷勤且贈遺甚多深悔從前侮辱之非

國家圖書館出版品預行編目資料

家庭美德／（清）陳鏡伊編
--初版.--臺北市：
世界，2015.08
面；公分.　--（道德叢書；3）

ISBN　978-957-06-0529-7（平裝）
1.家庭倫理　2.通俗作品

199.08　　　104014582

世界書號：A610-2161

道德叢書之三
家庭美德

作　　者／（清）陳鏡伊編
發 行 人／閻　初
發 行 者／世界書局股份有限公司
登記證／行政院新聞局局版臺業字第〇九三一號
地　　址／臺北市重慶南路一段九十九號
電　　話／（〇二）二三三一一一三八三四
傳　　真／（〇二）二三三一一一七九六三
網　　址／www.worldbook.com.tw
劃撥帳號／〇〇〇五八四三七　世界書局
出版日期／二〇一五年八月初版一刷
定　　價／台幣一六〇元
道德叢書全套十四冊，定價二四〇〇元